Mau

Kater Mau ist meine allerliebste Lieblingskatze.
Aber leider kein Hund!

Billi und Paul

Billi und Paul sind zusammen mit Anna meine allerbesten Freunde.

Frau Berg

Frau Berg ist Beppos Frauchen und ruft eines Tages bei uns an...

Beppo

Struppig, faul und dick – das ist Beppo! So habe ich mir meinen Traumhund nicht vorgestellt!

Conni und der
verschwundene Hund

Julia Boehme

Conni und der verschwundene Hund

Mit Bildern von Herdis Albrecht

CARLSEN

Hundehalsbandleinenöse

Conni guckt auf die Uhr: Es ist drei Sekunden vor
acht. Und der Platz neben ihr ist noch immer leer.
Auch Billi ist das aufgefallen. »Anna ist doch nicht
etwa krank?«, fragt sie besorgt.
Conni zuckt mit den Schultern. »Sieht ganz so aus.«
Wie immer eilt Frau Reisig pünktlich auf den
Gongschlag ins Klassenzimmer.
»Ich hoffe, ihr habt ein schönes Wochenende
gehabt«, begrüßt sie alle und strahlt.
Conni zwinkert Billi zu. »Ihr Wochenende war
anscheinend wunderschön«, flüstert sie.
»Mal sehen, ob alle da sind.« Frau Reisig guckt in
die Runde. »Torben hat immer noch die Wind-
pocken«, murmelt sie. »Und ansonsten sind alle
da … – nein, Anna fehlt ja!«
Frau Reisig macht sich schnell eine Notiz und schon

beginnt der Unterricht. »Heute wollen wir noch einmal die verschiedenen Wortarten wiederholen. Schlagt euer Lesebuch auf Seite 25 auf. Jeder liest der Reihe nach ein Wort vor und bestimmt es. Paul fängt an.«

Nachdem alle endlich ihre Bücher aufgeschlagen haben, legt Paul los: »Das«, liest er vor. »Das ist ein bestimmter Artikel.«

»Richtig«, freut sich Frau Reisig.

»Gespenst ist ein Nomen«, macht Billi weiter. Dann ist Conni an der Reihe.

»Fliegt«, liest sie, »das ist ein Verb.«

So zerstückeln sie die ganze schöne Geschichte von dem kleinen Gespenst, das im Spiegel immer vor sich selbst erschrickt.

Sie sind schon beim zweiten Durchgang angelangt,
als leise die Tür aufgeht. Anna schaut vorsichtig
herein und schleicht dann auf Zehenspitzen zu
ihrem Platz. Völlig unnötig, denn alle haben sich
längst nach ihr umgedreht.
»So spät?« Frau Reisig zieht die Augenbrauen hoch.
»Tut mir Leid«, sagt Anna.

 Aber sie klingt nicht gerade sehr zerknirscht.
Frau Reisig seufzt und fragt nicht weiter nach.
Conni ist allerdings neugierig.
»Was war denn los?«, flüstert sie.
»Ach«, winkt Anna ab. »Gerade als ich wegwollte,
ist noch ein kleines Unglück auf dem Teppich
passiert.«

7

»Ein Unglück auf dem Teppich?« Conni versteht
nur Bahnhof.

»Ja, stell dir vor«, Annas Augen leuchten, »ich
habe nämlich …«

»Also, Anna!«, unterbricht Frau Reisig sie streng.
»Wenn du Conni so etwas Wichtiges zu erzählen
hast, musst du schon früher aufstehen.«

Anna schiebt verlegen ihre Brille hoch.

»Entschuldigung«, murmelt sie und sagt kein Wort
mehr. Sie guckt Conni nicht einmal mehr an,
sondern starrt nur noch in ihr Lesebuch. Sogar als
Conni sie unter dem Tisch heimlich anstößt.

Conni muss also bis zum Ende der Stunde warten.
Auch wenn sie fast zerspringt vor Neugier. Anna
kommt sonst nie zu spät. Es muss einen triftigen
Grund dafür geben. Und obwohl Anna von einem
Unglück spricht, muss dieses Unglück doch etwas
ganz Tolles sein – so wie Anna die ganze Zeit vor
sich hin strahlt.

»Conni?«, fragt Frau Reisig.

Oje, Conni hat gar nicht gemerkt, dass sie schon
wieder dran ist.

»Türschloss«, liest sie schnell. »Das ist ein Nomen.«

»Richtig«, nickt Frau Reisig. »Und was ist das
besondere an diesem Nomen?«

Conni stutzt. Was soll denn an einem Türschloss besonders sein?

Doch Anna schnipst schon mit den Fingern.

»Türschloss ist aus zwei Nomen zusammengesetzt. Nämlich aus Tür und Schloss«, sagt sie, noch bevor Frau Reisig sie aufgerufen hat.

»Prima, Anna. Kennst du noch andere Beispiele für zusammengesetzte Wörter?«, fragt Frau Reisig.

»Klar!« Anna braucht gar nicht lange zu überlegen. »Hundekuchen, Hundehütte, Hundehalsband«, sprudelt sie los. Frau Reisig schreibt alle drei Wörter an die Tafel.

»In Hundehalsband sind sogar drei Wörter versteckt«, meint Frau Reisig.

»Und in Hundehalsbandleinenöse sind sogar fünf drin«, sagt Anna prompt.

Die ganze Klasse grinst.

»Das Wort kommt mir aber nicht sehr gebräuchlich vor«, meint Frau Reisig kopfschüttelnd.

»Na, wie nennt man das denn sonst, wo man die Leine am Halsband einhakt?«, fragt Anna fast ein bisschen beleidigt.

Frau Reisig überlegt. »Vielleicht einigen wir uns auf Hundehalsbandöse?«

Anna ist einverstanden und auch ein bisschen stolz,

als die Lehrerin es groß mit Kreide an die Tafel schreibt.

»Jetzt aber bitte keine Komposita mit Hund mehr!«, seufzt Frau Reisig. »Es gibt doch noch so viele andere schöne Wortzusammensetzungen!«

»Futternapf«, schlägt Anna vor und versteht gar nicht, wieso die ganze Klasse plötzlich loskichert. Frau Reisig gibt sich geschlagen. »Gut, dann sammeln wir jetzt Wortzusammensetzungen von Wörtern unterschiedlicher Wortarten.«

»Schwanzwedeln«, meint Anna sofort.

Jetzt grölen alle erst recht los. Paul fällt fast vom Stuhl vor Lachen.

»Ich weiß noch was!« Alex schnipst ungewohnt eifrig mit den Fingern. »Hundsgemein!«, ruft er und streckt Anna die Zunge heraus.

»Hundehalsbandleinenöse? Was ist denn heute mit dir los?«, fragt Conni nach der Stunde.

»Ja«, lacht Billi. »Ich dachte immer, deine Lieblingstiere sind Ponys! Und zwar nur Ponys!«

»Natürlich mag ich Ponys immer noch«, erklärt Anna. »Aber mein Lieblingstier ist jetzt Nicki.«

»Nicki?«, grinst Conni. »Was soll das denn für ein Tier sein?«

»Das ist mein Hund!« Anna strahlt von einem
Ohr zum anderen. »Und der hat heute früh
nämlich auf den Teppich gemacht, weil er noch so
klein ist.«

»Seit wann hast du denn einen Hund?«, fragt
Conni völlig geplättet.

»Seit gestern!«, lacht Anna und tut so, als ob sie
ein Wollknäuel in den Händen hält. »Einen so
kleinen Welpen! Eine Mischung aus Golden
Retriever und Schäferhund! Ihr könnt euch gar
nicht vorstellen, wie süß er ist!«

Conni kann es immer noch nicht fassen.
»Wie kommst du denn zu einem Hund? Du hast
doch nicht mal Geburtstag!«
»Na und?« Anna strahlt noch immer.
»Nun erzähl schon«, drängelt Billi.
Anna holt tief Luft, damit sie ihren Freundinnen in
einem Atemzug die ganze, lange Geschichte
erzählen kann: »Wir waren am Wochenende bei
Opa und Oma auf dem Land. Und die Nachbarn
haben mich eingeladen ihre Welpen anzugucken.
Sieben Stück hatten sie und Nicki war der
allersüßeste. Das fanden Mama und Papa auch.
Und weil ich doch keine Geschwister habe, habe
ich jetzt Nicki bekommen.«
Conni überlegt blitzschnell, ob sie Jakob gegen
einen Hundewelpen eintauschen würde. Aber
wieso sollte man nicht einen Bruder und einen
Hund haben? Und eine Katze – nicht zu vergessen.
Kater Mau ist ja schließlich auch noch da.

Mensch, Anna!

Am Nachmittag dürfen Conni und Billi Annas
neuen Hund besuchen.
»Das ist wirklich das süßeste Hundebaby der
Welt«, müssen sie zugeben.
»Nicht wahr!« Anna ist schrecklich stolz auf ihren
kleinen Nicki. »Wenn ihr wollt, können wir mit
ihm spazieren gehen!«
Und ob Conni und Billi wollen!

Nicki bekommt eine schicke, rote Hundeleine.
Und schon tapst er mit seinen großen Pfoten
fröhlich los. Er springt mehr, als dass er läuft.

»Bei Fuß!«, befiehlt Anna immer wieder.
Aber das ist Nicki wohl zu langweilig. Es gibt für
ihn so viel spannende Sachen zu entdecken. Was
ist das denn? Er schnüffelt an einer leeren Streich-
holzschachtel.
»Pfui!«, ruft Anna streng.
Doch Nicki schnuppert ausgiebig weiter, stupst
die Schachtel mit der Nase an und schiebt sie
zentimeterweise vor sich her. Erst als Anna pfeift,
lässt er die Schachtel Schachtel sein und läuft
endlich bei Fuß. Anna lächelt stolz.
Plötzlich hat Nicki Lust zu rennen. Schon pest er
los. Und Anna und Conni und Billi rennen hinterher. So sausen sie einmal um den Block und sind
ganz außer Atem, als sie wieder zu Hause
ankommen.
»Das war toll!«, lacht Conni. Jetzt will sie noch
etwas mit Nicki spielen. Doch Anna hat keine Zeit
mehr.
»Nicki braucht unbedingt etwas zu fressen. Und
danach muss ich noch mit ihm arbeiten.«
»Arbeiten?«, fragt Billi und grinst. »Seit wann
müssen Hunde arbeiten?«
»Junge Hund muss man erziehen«, erklärt Anna
wichtigtuerisch. »Sitz und Platz kann er schon.«

Das muss Anna ihren beiden Freundinnen natürlich gleich einmal vorführen. »Los, Nicki: sitz!«,
sagt sie streng.
Nicki springt laut bellend an ihrem Bein hoch.
»Er hat jetzt Hunger«, meint Anna schnell und
schiebt Conni und Billi zur Tür hinaus. »Tschüss,
wir sehen uns morgen in der Schule!«
»Bis morgen«, murmeln die beiden. Und schon
knallt Anna ihnen die Tür vor der Nase zu.

Am nächsten Tag will Conni Anna und Nicki
gleich noch einmal besuchen.
»Wir könnten doch am Nachmittag wieder
zusammen spazieren gehen?«, schlägt sie nach der
Schule vor.
»Das geht nicht«, meint Anna. »Nicki muss sich
erst noch an mich gewöhnen. Da stören andere
nur.«
Und so geht es die ganze Woche: Nie hat Anna

Zeit. Weder für Conni noch für Billi noch für
irgendjemand anderen.

»Seitdem Anna ihren Hund hat, ist sie richtig
komisch«, meint Billi enttäuscht.

Das findet Conni auch. Das ist gar nicht mehr die
Anna, die sie kennt. Es ist zwar schön, eine Zeit
lang mal etwas mit Billi alleine zu unternehmen.
Und dann ist da ja auch noch Paul von nebenan.
Trotzdem vermisst sie Anna.

Am Freitag in der großen Pause fasst Conni sich
ein Herz.

»Sind wir vielleicht gar nicht mehr richtig
befreundet?«, fragt sie vorsichtig.

»Klar sind wir noch befreundet«, antwortet Anna
schnell. »Wie kommst du denn auf so eine blöde
Idee?«

»Ich meine, weil jetzt anscheinend Nicki dein
bester Freund ist«, meint Conni ernst.

»Nicki ist mein bester Freund und du bist meine
beste Freundin«, stellt Anna klar. »Und Billi auch!«

»Aber für deine besten Freundinnen hast du gar
keine Zeit mehr«, murmelt Conni.

»Das musst du verstehen, Conni. Wo Nicki so
klein ist, muss ich mich einfach ganz doll um ihn
kümmern.«

Conni nickt.

Anna rückt umständlich ihre Brille zurecht.

»Ich meine, wenn du auch einen Hund hättest,
wäre das natürlich etwas anderes«, meint sie.

»Dann könnten unsere Hunde zusammen spielen.
Und wir könnten gemeinsam spazieren gehen.
Aber so ...«

Anna schüttelt den Kopf.

Da hilft nur eins: Conni braucht einen eigenen
Hund. Und zwar dringend!

Dauerregen

»Hast du das auch gelesen, Jürgen?« Mama ist
mit ihrem Frühstück schon fertig und blättert
gemütlich in der Zeitung.
»Was denn?« Papa ist gerade dabei, Jakob ein
zweites Brötchen zu schmieren.
»Das mit dem Hund«, sagt Mama. »Ein Collie ist
über 500 Kilometer gelaufen, um sein Herrchen zu
finden.«
»Und? Hat er sein Herrchen gefunden?«, fragt
Conni gespannt.
»Ja!«, sagt Mama. »Ist das nicht unglaublich?«
»Hunde sind einfach toll!«, schwärmt Conni.
»Anna hat doch jetzt einen kleinen Welpen
bekommen. Und ich hätte auch sooo gerne einen.«
»Au ja, ich will auch einen Hund!«, ruft Jakob
begeistert.

»Wir haben doch Kater Mau«, meint Papa.
»Aber Kater Mau ist doch kein Hund!« Jakob
bringt es auf den Punkt. »Mit dem kann man ja
nicht mal spazieren gehen.«
»Ein Haustier ist mehr als genug!«, stellt Mama
klar.
»Wir sind zwei Kinder und ihr seid zwei
Erwachsene, da brauchen wir auch zwei Tiere«,
versucht Conni ihre Eltern zu überzeugen.
Doch Mama und Papa schütteln nur die Köpfe.
»Dann wünsche ich mir eben von Opa und Oma
einen Hund!«, sagt Conni patzig. Die haben ihr
nämlich noch nie einen Wunsch abgeschlagen.
»Und ich mir auch!«, ergänzt Jakob entschlossen.

Er verschränkt die Arme vor der Brust.

»Schluss jetzt!« sagt Papa streng. »Wir haben eine Katze und zwei Kinder. Und damit basta!«

»Und wenn ihr mir nie, nie wieder etwas zum Geburtstag oder zu Weihnachten schenken müsst?«, fragt Conni so Mitleid erregend wie möglich.

»Nein!«

Seufzend rutscht Conni vom Stuhl. Warum sind Eltern nur manchmal so fies?

Das Wochenende fängt ja gut an! Conni hockt in ihrem Zimmer auf der Fensterbank und schaut nach draußen. Das Wetter passt zu ihrer schlechten Laune. Es regnet. Lauter kleine Tropfen rinnen das Fensterglas hinunter. Genauso sieht es aus, wenn sie mit Papa durch die Waschanlage fährt.

Plötzlich kratzt es an der Tür.

»Hallo Mau!«, ruft Conni und öffnet dem Kater die Tür. »Wie gut, dass ich wenigstens dich habe!«

Sie nimmt Kater Mau auf den Arm und krault ihn zwischen den Ohren. Doch er scheint ebenfalls nicht die beste Laune zu haben. Statt zu schnurren, haut er mit seiner Tatze nach Connis Hand und windet sich mit einem heftigen Ruck aus ihrem Arm.

»Blöder Kerl«, brummt Conni enttäuscht. Nicht einmal Kater Mau ist heute nett zu ihr. »Ein Hund wäre niemals so zickig«, denkt sie ärgerlich. Der wäre immer nett – genau wie Nicki. Der freut sich nämlich immer wie verrückt, wenn Anna mit ihm spielt. Jedenfalls sagt das Anna. Und Connis Hund würde sich bestimmt immer freuen, wenn sie da wäre. Er würde mit dem Schwanz wedeln und ihr über die Wange lecken. Ach ja! Conni kann sich alles genau vorstellen: Sie könnten zusammen auf dem Sofa schmusen und spielen. In der Nacht würde er dann gleich neben ihrem Bett schlafen und auf sie aufpassen. Und sie könnte ihm alles erzählen. Vor allem, wenn ihre Eltern mal wieder genauso fies sind wie heute!

Mama klopft an und schaut herein. »Weißt du was, Conni? Ich habe da eine Idee, wie du doch noch zu deinem Hund kommst«, sagt sie.

»Echt? Wie denn?«

»Du könntest Hundesitterin werden.«

»Hundesitterin?«, fragt Conni erstaunt.

»Ja, so etwas wie eine Babysitterin für Hunde, die mit fremden Hunden spazieren geht. Ich wette, in

der Nachbarschaft freut sich bestimmt jemand,
wenn du seinen Hund ausführst«, meint Mama
begeistert.

Conni schluckt. Das war nicht gerade das, was sie
hören wollte.

»Mach doch einfach mal einen Aushang. Da
meldet sich garantiert einer«, sagt Mama und freut
sich immer noch über ihre gute Idee.

Mama ist längst wieder die Treppe hinunter-
getrabt.

Conni sitzt immer noch auf der Fensterbank: Mit
fremden Hunden spazieren gehen! Für einen

winzigen Moment hatte sie wirklich geglaubt,
Mama hätte einen echten Vorschlag. Aber das ist
nur eine ganz doofe Behelfslösung! Damit lässt
sich Conni nicht abspeisen. Sie doch nicht! Sie will
ihren eigenen Hund. Einen eigenen oder keinen.
Und damit basta!
»So einen blöden Zettel hänge ich nicht aus«,
schwört sie sich. »Niemals!«

Und so starrt Conni weiter in den Regen hinaus.
Eine Stunde oder länger. Und der Regen hört nicht
auf.

Nach dieser langen Stunde ist ihr »Niemals!«
schon ziemlich durchnässt und aufgeweicht. Wie
die alte Zeitung, die draußen im Rinnstein liegt.
»Ein fremder Hund ist immerhin besser als überhaupt kein Hund«, überlegt Conni, während die
Regentropfen unaufhörlich gegen die Scheibe
klatschen. Und mit einem Hundesitterhund könnte
sie auch mit Anna und Nicki spazieren gehen.

Conni beißt nachdenklich auf ihre Lippe. So ein Dauerregen kann manches bewirken. Das weiß sie aus der Schule. Wenn es richtig lange und stark regnet, können sich Flüsse in reißende Ströme verwandeln, die über die Ufer treten und alles überschwemmen und wegreißen: Büsche, Bäume, Telefonmasten und sogar Häuser. Wie soll dann also ihr kleines »Niemals!« einem Dauerregen standhalten?

Conni setzt sich an ihren Schreibtisch, nimmt ein großes weißes Blatt Papier und schreibt: »Hundesitterin sucht eine Stelle.«

»So ein Quatsch!« Conni zerknüllt den Zettel und fängt noch einmal von vorne an. Genau elf Zettel müssen dran glauben, bis Conni mit ihrem Aushang einigermaßen zufrieden ist.

Brauchen Sie jemanden, der Ihren Hund spazieren führt?
Ich mache das gern!
Ich bin sehr tierlieb.
Bitte rufen Sie an: Tel. 54321

Conni schreibt den Zettel fünfmal ab und malt auf jedem Blatt noch einen kleinen, niedlichen Hund dazu.

Jetzt hat es doch tatsächlich aufgehört zu regnen. Wenn sie die Zettel in Plastikhüllen steckt, kann sie sie gleich draußen aufhängen.

Hoffentlich ruft wirklich jemand an!

Der Traumhund

Es ruft jemand an. Noch am selben Tag sogar.
»Conni!«, ruft Mama von unten. »Telefon für dich!«
Conni rast die Treppe hinunter.
»Hallo, hier ist Conni Klawitter!«, meldet sie sich
atemlos.
»Guten Tag, Conni! Ich bin Frau Berg und ich
haben deinen Aushang gelesen«, sagt eine junge
Frauenstimme. »Mein Hund heißt Beppo, und
wenn ich wochentags arbeite, ist er den ganzen Tag
allein zu Hause. Beppo und ich würden uns also
riesig freuen, wenn du nachmittags ab und zu mit
ihm spazieren gehen könntest.«
»Und ich mich auch!«, ruft Conni begeistert.
»Ich weiß ja nicht, wie du es dir mit der Bezahlung
gedacht hast«, meint Frau Berg. »Wie wäre es denn
mit einem Euro pro Spaziergang?«

»Gebongt!«, sagt Conni sofort. Mit Geld hat sie gar nicht gerechnet. Jetzt kriegt sie einen Hund, damit sie mit Anna spazieren gehen kann, und bekommt sogar noch Geld dazu!

»Soll ich gleich vorbeikommen?«, fragt sie.

»Ich habe mit deiner Mutter eben abgemacht, dass ihr beide morgen Abend bei mir in der Lessingstraße Nummer 15 vorbeischaut. Bist du damit einverstanden?«

»Aber ja!«, sagt Conni sofort. »Dann also bis morgen!«

Kaum hat sie aufgelegt, macht sie einen Riesenfreudenhüpfer. »Hurra!«, jubelt sie. »Ich bekomme einen Hund!«

Denn wenn sie nun immer mit Beppo spazieren gehen kann, ist es doch fast so, als ob sie einen eigenen Hund hätte.

Als Conni abends im Bett liegt, kann sie vor lauter
Aufregung nicht einschlafen.
»Beppo und ich werden die besten Freunde
werden!« Conni kuschelt sich in ihre Decke. Ob er
wohl genauso süß ist wie Nicki?
So etwas Blödes! Conni hat vor lauter Aufregung
ganz vergessen, Frau Berg nach der Hunderasse zu
fragen. Jetzt weiß sie gar nicht, wie Beppo aussieht. Sie weiß nicht mal, ob er groß oder klein ist.
Sie knipst das Licht an, schlüpft noch einmal aus
dem Bett und holt ihr Tierbuch aus dem Regal.
In der Mitte des Buches ist eine große, aufklapp-
bare Doppelseite. Darauf sind die verschiedenen
Hunderassen abgebildet: vom Bernhardiner bis
zum Yorkshireterrier.

28

Conni schaut sie sich alle genau an und überlegt,
wie wohl ihr Traumhund aussehen müsste.
Am liebsten hätte Conni etwas ganz Wuscheliges:
einen Bobtail zum Beispiel. Conni seufzt. Ihr ist
schon klar, wenn sie sich jetzt auf eine bestimmte
Rasse spitzt, wird sie enttäuscht sein, falls Beppo
ganz anders aussieht.
»Eigentlich ist die Hunderasse ja auch egal«,
denkt sie. »Schließlich kommt es doch auf die
inneren Werte an. Und Beppo ist bestimmt der
liebste und süßeste Hund der Welt!«
Conni holt sich schnell noch Zettel und Stift.
»Wie mein Hund sein soll«, schreibt sie als Über-
schrift. Und dann legt sie los:

Wie mein Hund sein soll:

- jung
- süß
- verspielt
- klug
- treu
- lieb
- anhänglich
- nicht zu klein

Conni liest sich die Liste noch einmal in Ruhe durch. Hat sie auch nichts vergessen?

»Nein, das reicht«, denkt sie und dann steckt sie den Zettel unters Kopfkissen. Wunschzettel, die man über Nacht unters Kissen legt, gehen nämlich in Erfüllung. Meistens zumindest!

Beppo

Den ganzen Tag über ist Conni schrecklich
aufgeregt. Zu dumm, dass sie erst abends um
sechs Uhr verabredet sind!
Conni hat sich ihren Wunschzettel in die Hosentasche gesteckt. Immer wieder zieht sie ihn
heimlich hervor. Ein letztes Mal, kurz bevor
Mama und sie endlich losgehen.
»Jung, süß, verspielt, klug, treu, lieb, anhänglich
und nicht zu klein«, liest sie noch einmal und
nickt. »Ja, so soll er sein!«

Pünktlich klingelt sie an Frau Bergs Wohnungstür
im zweiten Stock.
»Hallo, Conni! Guten Tag, Frau Klawitter!«
Frau Berg streicht sich ihre langen blonden Haare
hinters Ohr. Für jemand, der den ganzen Tag

arbeitet, sieht sie noch ganz schön jung aus, findet Conni. »Wo ist denn Beppo?«, fragt sie sofort.

»Auf seinem Lieblingsplatz!« Frau Berg führt sie ins Wohnzimmer.

Beppo liegt zusammengerollt auf dem Sofa.

»Das ist Beppo?«, fragt Conni langsam.

Als ob es noch einen anderen Hund im Zimmer gäbe! Im Geist geht sie blitzschnell noch einmal die Liste durch. Beppo ist weder jung noch süß noch verspielt und groß schon gar nicht. Doch auch ohne ihre Liste hätte sie gleich gewusst, dass Beppo ganz sicher nicht ihr Traumhund ist.

»Hallo, Beppo!«, sagt sie trotzdem so nett wie möglich. Beppo hebt nicht mal den Kopf.

Na, das kann ja heiter werden.

»Er ist schon etwas älter und ein bisschen faul«, meint Frau Berg und lächelt. »Ich habe ihn als junges Mädchen bekommen. Da war ich nur ein bisschen älter als du.«

Frau Berg gibt Beppo einen kleinen Klaps auf den Po. »Los, Beppo, aufstehen. Wir wollen Conni mal zeigen, wo deine Leine hängt …«

Beppo bleibt reglos liegen.

»Vielleicht ist er ja ausgestopft?«, schießt es Conni durch den Kopf.

»… und wo dein Fressen steht«, fährt Frau Berg
fort.

Fressen? Beppo hebt den Kopf. In Zeitlupe reckt
und streckt er seine kurzen Beine, rutscht vom
Sofa herunter und schlurft zur Küche.

»Der rote ist sein Fressnapf. Und der blaue sein
Trinknapf. Vielleicht füllst du immer etwas Wasser
nach, wenn du hier bist.«

»Soll Conni den Hund auch füttern, wenn er
Hunger hat?«, fragt Frau Klawitter.

Frau Berg kichert. »Beppo hat eigentlich immer
Hunger.« Sie drückt Conni eine Packung Hundekekse in die Hand. »Nach dem Spaziergang
kannst du ihn mit ein paar Keksen belohnen.«

Beppo bellt heiser und stupst Conni mit der Nase
an. Es ist ihr klar, was er will.

»Gib ihm ruhig welche«, fordert Frau Berg sie auf.
»Das besiegelt eure Freundschaft.«

»Welche Freundschaft?«, denkt Conni grimmig, während sie den Hund füttert. Bevor sie nicht die Kekse hatte, hat Beppo sie nicht einmal angeguckt! »Dort an der Garderobe hängt Beppos Leine. Die hakst du hier am Halsband ein.« Frau Berg macht es Conni einmal vor. »Und dann gehst du mit Beppo einfach einmal um den Block. Hunderunde nennen wir das.«

»Dürfen wir auch in den Park?«, fragt Conni. Schließlich will sie dort mit Anna und Nicki spielen.

»In den Park?« Frau Berg lächelt Conni etwas verlegen an. »Von mir aus gerne, doch ich glaube nicht, dass Beppo so weit läuft.«

Der Park ist nun wirklich nicht weit! Aber dann schaut Conni auf Beppos Stummelbeine und

seinen Hängebauch. Wahrscheinlich hat Frau Berg
Recht. Conni schluckt.

Trotzdem vereinbart sie mit Frau Berg, dass sie
Beppo morgen Nachmittag zum Spaziergang
abholt. Und für Dienstag verspricht sie, Frau Berg
mit Beppo vom Büro abzuholen, weil Beppo dann
einen Termin beim Tierarzt hat.

Was hätte sie denn sonst sagen sollen, wo sie schon
mal hier ist? Etwa: »Nein danke! Ihr Hund ist ja
scheußlich!«?

Conni bekommt sogar einen Wohnungsschlüssel,
weil Frau Berg nachmittags noch arbeitet.

»Beppo kann einiges«, lacht Frau Berg. »Aber die
Tür aufmachen, das kann er nicht!«

Hunderunde

»So kommst du also doch noch zu deinem Hund!«,
sagt Mama fröhlich, als sie wieder nach Hause
gehen. »Na, freust du dich?«
Conni zuckt mit den Schultern. Wenn sie ehrlich
ist, freut sie sich nicht. Nicht ein bisschen!
»Beppo ist natürlich kein Welpe mehr. Aber er ist
bestimmt ein netter Hund!«, meint Mama leicht-
hin. »Warte mal ab, bis du deinen ersten Spaziergang mit ihm machst.«

Gleich am nächsten Nachmittag ist es schon so
weit. Und das Tolle ist: Anna kommt mit.
Gemeinsam laufen sie zur Lessingstraße. Nicki
springt aufgeregt nebenher.
»Ich bin schon so gespannt auf Beppo«, sagt
Anna. »Wie ist er denn so? Erzähl doch mal!«

Conni schüttelt den Kopf. Wenn sie zu viel von Beppo berichtet, kommt Anna womöglich gar nicht mehr mit …

»Nicki und er werden bestimmt gute Freunde!«, ruft Anna gut gelaunt.

»Hoffentlich«, meint Conni und lässt sich schließlich von Annas Schwung anstecken. Vielleicht war Beppo gestern Abend einfach nur ein bisschen müde und ist gar nicht so faul und dick und träge, wie es ihr vorkam.

Während Anna und Nicki draußen warten, rast Conni die Treppe hoch, schließt die Tür auf und nimmt schon mal die Leine vom Garderobenhaken.

»Hallo, Beppo! Ich bin's: Conni!«, ruft sie. Sie guckt sich in der Wohnung um.

Beppo ist nicht zu sehen.

»Beppo?«, ruft Conni noch einmal.
Der Hund scheint gar nicht da
zu sein. Im Wohnzimmer ist er
zumindest nicht. In der Küche
auch nicht. Nicht im Bad.
Conni guckt ins Schlafzimmer.
Hier ist er auch nicht … – Moment
mal! Sie hört ein leises Schnaufen.

Conni schaut in jedem Winkel nach. Sogar in den Schränken und unter dem Bett. Wo hat sich Beppo bloß versteckt?

Jetzt erst fällt ihr Blick auf die Bettdecke, die sich langsam hebt und senkt. Fassungslos zieht sie die Decke weg. Beppo liegt zusammengerollt im Bett!

»Aber, Beppo, was machst du denn da? Wir wollen doch spazieren gehen«, sagt Conni vorwurfsvoll. Beppo schaut sie lange mit seinen großen Augen an. Dann rappelt er sich auf und springt vom Bett. »Na also!« Conni atmet erleichtert auf. Doch sie freut sich zu früh! Denn Beppo denkt gar nicht daran spazieren zu gehen. Im Gegenteil: Er bringt sich unter dem Bett in Sicherheit!

»He, hier geblieben!« Conni guckt unters Bett. Beppo hat den Kopf zwischen die Vorderpfoten gesteckt, so als wolle er sich die Augen zuhalten.

»Nicht schlafen! S-P-A-Z-I-E-R-E-N!«, buch-
stabiert Conni.

Beppo blinzelt nicht einmal.

Da hilft nur eins: Conni robbt unters Bett, packt
Beppo am Halsband und versucht ihn unter dem
Bett hervorzuziehen. Doch Beppo stemmt sich mit
aller Kraft dagegen. Er ist nicht einen Millimeter
zu bewegen. Conni stöhnt. So ein blöder Hund!
»Dann gehe ich eben«, droht sie.

Beppo rührt sich nicht.

Conni hat nicht übel Lust, wirklich wieder zu
gehen. Aber leider hat sie Frau Berg versprochen,
mit Beppo spazieren zu gehen. Und außerdem
warten Anna und Nicki draußen auf sie! Die Frage
ist nur: wie lange noch?

Doch da fällt Conni auf einmal ein, wie sie Beppo
unter dem Bett hervorlocken kann. Wenn man
einen Kater zu Hause hat, kann man auch mit
Hunden umgehen!

Schnell holt sie aus der Küche ein paar Hundekekse, und wirklich: Schon kriecht Beppo unter
dem Bett hervor. Noch während er den ersten
Bissen kaut, hakt Conni die
Hundeleine ein.

Verzweifelt stemmt Beppo

seine kurzen Beinchen in den Boden, doch Conni zieht ihn wild entschlossen zur Tür hinaus.

»Na, endlich! Ich dachte ihr kommt gar …!« Plötzlich verschlägt es Anna die Sprache. »Ist das Beppo?«, fragt sie. Dabei guckt sie, als müsse sie eine Hand voll Regenwürmer schlucken.

Nicki hat sich hinter ihren Beinen versteckt und knurrt von dort aus Beppo mit gebleckten Zähnen an.

»Nun stellt euch doch nicht so an«, brummt Conni. »Beppo ist bestimmt ein netter Hund!«

»Na ja«, sagt Anna gedehnt und zieht die Augenbrauen hoch. »Hauptsache wir können endlich los!«

Nicki und sie laufen los. Conni auch, doch sie kommt nicht weit. Beppo hat einen kleinen Käfer entdeckt, der über den Bürgersteig krabbelt. »Nun komm schon, Beppo! Bei Fuß!«, ruft Conni streng. Doch Beppo hört nicht. Er schnüffelt ausgiebig weiter und dann frisst er den Käfer einfach auf. »Iiiih, Beppo!«, schreit Conni. Beppo schleckt sich zufrieden das Maul. »Was hast du denn?«, scheint er zu denken. »Das war doch lecker!«

»Komm ihr endlich?«, ruft Anna genervt. Sie war mit Nicki schon an der nächsten Ecke und kommt

nun wieder zurück. »Mit euch macht Spazieren-
gehen ja überhaupt keinen Spaß!«
Beppo hat es gerade mal bis zum ersten Baum
geschafft und macht Pipi. Fertig! Jetzt will er
wieder nach Hause. Entschlossen dreht er sich um.
Aber er hat nicht mit Conni gerechnet. Sie zerrt
und zieht an der Leine, sodass er wohl oder übel
doch noch ein paar Schritte mit ihr laufen muss.
Nicki ist das so zu langweilig. Und Anna erst recht.
»Also, wir gehen jetzt alleine in den Park«,
beschließt sie. »Mit euch sind wir ja nächste
Weihnachten noch nicht da! Tschüss, ihr beiden!«
»Tschüss«, brummt Conni.
Sie ist sauer. Und wie! Sauer, dass Anna sie im Stich
lässt. Schließlich ist sie doch hauptsächlich wegen
ihr Hundesitterin geworden. Und Conni ist sauer
auf Beppo. Und zwar noch viel saurer als auf Anna.
Was allerdings daran liegen kann, dass Anna schon
weg ist und Beppo noch da.
»Du doofer Trödelblödel«, schimpft sie. »Du hast
alles verdorben!«
»Wuff«, bellt Beppo heiser. Er will nach Hause.
Aber Conni ist nicht bereit nachzugeben.
Jetzt erst recht nicht!
Hunderunde ist schließlich Hunderunde!

Jeder Schritt vorwärts wird zu einem Zweikampf.
Und die eine Runde um den Block dauert Ewig-
keiten.

»Beppo, so komm doch!«, bettelt Conni schließlich völlig fertig. »Wir sind doch gleich zu Hause!«
Zu Hause? Beppo spitzt seine Ohren und schaut
sich um. Kaum erkennt er sein Haus, läuft er los.
Er hoppelt die Treppe hinauf und kratzt japsend
an der Tür. Conni schließt auf und hakt die Leine
aus. Der Endspurt scheint Beppo geschafft zu
haben. Mit letzter Kraft schleppt er sich in die
Küche, setzt sich vors Regal und bellt. Es ist ganz
klar, was er möchte: Hundekekse. Unverwandt
blickt er die Packung an.

»Du glaubst doch nicht wirklich, dass du dir die
verdient hast!«, meint Conni streng und füllt nur
frisches Wasser in seinen Trinknapf.

Beppo bleibt reglos sitzen und starrt weiter die Hundekekse an. So als habe er magische Kräfte und könne die Packung durch bloßes Angucken in Bewegung setzen. Doch die Packung bleibt, wo sie ist. Und Conni denkt nicht daran, ihm einen einzigen Keks zu geben. Nicht, so wie er sich heute aufgeführt hat!

Etwas stimmt nicht!

Zum Glück geht es beim nächsten Spaziergang
schon etwas besser. Irgendwie haben es Conni und
Beppo heute sogar bis zur großen Straße geschafft.
Sie sind gerade an der Kreuzung, als Conni plötzlich Anna und Nicki auf der anderen Straßenseite
entdeckt.
»Hallo, Anna! Wir kommen rüber!«, brüllt sie
und wartet, bis die Ampel grün wird. Dann gehen
sie los. Erst dackelt Beppo brav hinterher, aber
mitten auf der Kreuzung legt er sich einfach hin
und ist nicht mehr von der Stelle zu bekommen.
»Los, Beppo, schnell!«, fleht Conni und zerrt an
der Leine. Doch Beppo bleibt liegen. Die Fuß-
gängerampel springt auf Rot. Conni versucht
Beppo aufzuheben, aber Beppo ist viel zu schwer.
Schon fahren die Autos los. Und Conni und Beppo

sind mitten auf der Fahrbahn. Haarscharf fahren
die Wagen an ihnen vorbei. Conni steht ganz steif
vor Angst. Hoffentlich wird sie nicht umgefahren!
Und da passiert es: Mit lautem Hupen rast ein
riesiger Laster auf sie zu. Conni reißt ein letztes
Mal an der Leine. »Komm jetzt!«, schreit sie.
Doch Beppo bewegt sich nicht.
Dann muss Conni eben alleine um ihr Leben
rennen. Doch sie kommt nicht von der Stelle: Die
Hundeleine ist an ihrer Hand wie festgeklebt. Sie
bekommt sie einfach nicht los. Der Laster hupt ein
letztes Mal. Conni schaut entsetzt auf. Er ist direkt
vor ihr …
»Nein!«, schreit sie voller Verzweiflung. »Nicht!
Ich will nicht sterben! Nein!«
»Conni! Conni, was ist denn?« Mama rüttelt sie
wach.
»Der Laster«, stammelt Conni. »Er hat mich
überfahren!«
»Das war nur ein Albtraum!«, sagt Mama und
nimmt sie in die Arme. »Willst du ihn mir erzählen?«
Conni schüttelt den Kopf. Nein, dazu war er viel
zu schrecklich! Sie vergräbt ihren Kopf in Mamas
Halsbeuge. Wie gut, dass Mama da ist. Wie gut,
dass sie nicht sterben muss.

»Du, Mama«, murmelt Conni schließlich. »Ich
will Beppo nicht mehr ausführen!«

»Hat das etwas mit deinem Traum zu tun?«, fragt
Mama.

Conni nickt.

»Schlaf noch mal drüber. Entscheidungen trifft
man besser nicht mitten in der Nacht!«, meint
Mama und gibt Conni ein Küsschen. »So, und nun
schlaf schnell wieder ein!«

Aber das ist leichter gesagt als getan. Es dauert
eine ganze Weile, ehe Conni die Augen zumachen
kann, ohne den großen Laster vor sich zu sehen …

»Na, sieht heute früh nicht alles schon wieder

ganz anders aus?«, lacht Mama, als Conni zum Frühstück kommt.

»Nein!«, sagt Conni und setzt sich. »Mit Beppo gehe ich nie wieder spazieren!«

»Nicht?« Papa macht große Augen. »Ich dachte, du wolltest unbedingt einen Hund!«

»Dann gehe ich eben mit Beppo spazieren«, ruft Jakob dazwischen. Doch keiner nimmt Notiz davon.

»Ich rufe Frau Berg gleich an und sage ihr ab«, meint Conni fest entschlossen.

Mama nippt nachdenklich an ihrer Kaffeetasse.

»Ist heute nicht der Tierarzttermin? Du hast doch Frau Berg versprochen, ihr Beppo im Büro vorbeizubringen!«

»Ach ja!« Conni schluckt. Heute ist ja Dienstag!

»Da kannst du Frau Berg nicht einfach im Stich lassen!«, stellt Papa klar. »Wenigstens heute Nachmittag musst du noch einmal hin. Danach kannst du kündigen.«

»Vielleicht merkst du dabei ja, dass du gar nicht kündigen willst«, versucht es Mama noch einmal. Dabei weiß Conni ganz genau, was sie will. Beppo ist nicht nur nicht ihr Traumhund, er ist ihr Albtraumhund! Mit so einem geht man nicht

spazieren! Dass ausgerechnet heute dieser doofe
Tierarzttermin sein muss!
Aber Conni sieht ein, dass sie ihr Versprechen
halten muss. Auch wenn es ihr schwer fällt.
Verflixt schwer.
Und das Schlimmste ist: Um von der Lessingstraße
zu Frau Bergs Büro zu kommen, muss sie wirklich
über die große Straße rüber!

Wie konnte sie nur so blöd sein und Beppos
Hundesitterin werden? Conni schnauft ärgerlich,
als sie am Nachmittag die Treppen zu Frau Bergs
Wohnung hinaufstapft. Und überhaupt, wieso hat
sie nur diese idiotischen Zettel ausgehängt?
Als sie oben die Schlüssel herauskramt, hört sie
Beppos heiseres Bellen. Er hat sie wohl kommen
hören. Wahrscheinlich wird er sich jetzt gleich
wieder unter dem Bett verstecken.
»Los, Beppo, hier geblieben! Wir müssen gleich
los!«, brüllt sie, während sie die Tür aufschließt.
Conni ist ganz schön baff, als Beppo tatsächlich
neben der Tür steht. So als warte er schon auf sie.
Ausgerechnet jetzt gibt er sich Mühe. Als ob er
spüren würde, dass Conni heute zum letzten Mal
mit ihm spazieren gehen will.

48

Conni gibt sich einen Ruck. »Braver Hund«, lobt
sie ihn und streicht ihm über den Kopf.
Doch Beppo winselt nur. Anscheinend hat er doch
nicht auf sie gewartet, sondern auf jemand
anderen.
»Dein Frauchen arbeitet noch«, tröstet Conni ihn.
»Aber wir holen es ja gleich ab!« Sie schnuppert.
Irgendetwas stinkt hier! Entgeistert blickt Conni
durch die offene Badezimmertür. Mitten auf dem
Boden ist eine riesige Hundepipipfütze.
»Oh nein, Beppo! Nicki ist noch ein Baby, dem
kann so etwas passieren. Aber dir doch nicht!«,
schimpft sie. »Du bist ein richtiges Schweins-
ferkel!«
Aber Beppo hört gar nicht zu. Er winselt noch
immer und versucht Conni in die Küche zu locken.
»Was hast du denn nur?«, fragt sie und geht ihm
hinterher. Plötzlich hat sie ein ganz merkwürdiges
Gefühl: Irgendwas stimmt hier nicht.
Beppo stupst immer wieder mit der Nase seinen
leeren Wassernapf an.
»Hast du Durst?«, fragt Conni und gibt ihm sofort
zu trinken. Beppo stürzt sich auf den Napf, als
habe er tagelang nichts zu trinken bekommen.
Winselnd schiebt er nun seinen Fressnapf mit der

Schnauze vor Connis Füße. Er guckt sie mit seinen
großen dunklen Hundeaugen an. Diesmal kann
Conni nicht anders. Sie füllt den Napf mit Hunde-
keksen. Nach ein paar Minuten ist er wieder leer.
Conni guckt auf die Uhr. Sie müssen sich beeilen,
wenn sie es noch pünktlich schaffen wollen.
Schnell schließt sie die Badezimmertür. Die Sache
mit der Pfütze kann dann ja Frau Berg aus der
Welt schaffen …
»Los, wir wollen zu deinem Frauchen«, sagt
Conni.
Frauchen? Beppo spitzt die Ohren und lässt sich
von Conni bereitwillig an die Leine nehmen.
Draußen traut Conni ihren Augen nicht: Beppo
flitzt zum nächsten Baum und hebt sein Bein.
Danach will er gleich weiter und geht brav bei
Fuß. Trotzdem wird Conni ganz anders, als sie
schließlich an der Kreuzung stehen. Ob sie dort

sicher hinüberkommen? Die Ampel springt auf
Grün und Beppo schnürt los. Schon sind sie auf der
anderen Seite. Conni atmet erleichtert auf.

Je näher sie zum Büro kommen, desto schneller
läuft Beppo. Fast zieht er diesmal an der Leine.
Und wenige Meter vor dem Haus fängt er fast an
zu rennen. Zumindest hoppelt er.
Conni wartet wie abgemacht vor der Tür. Gar nicht
so einfach, denn Beppo zieht und zerrt an der Leine.
Er will unbedingt ins Büro hinein. Und als Conni
ihn nicht lässt, jault er herzzerreißend auf. Conni
schaut auf die Uhr. »Frau Berg könnte wenigstens
pünktlich kommen«, denkt sie grimmig.
Irgendwann reicht es ihr.
»Wenn dein Frauchen nicht zu uns kommt, gehen
wir eben zu ihm«, meint sie. Im selben Moment
hört Beppo auf zu jaulen. Aufgeregt kratzt er an

der Tür, als Conni klingelt. Sie hat richtig Mühe ihn zu halten, als endlich die Tür aufgeht. Eine Frau mit blonden Haaren und rosa Fingernägeln schaut Beppo und Conni groß an.

»Guten Tag«, sagt Conni so höflich es geht. »Wir möchten bitte zu Frau Berg.«

»Frau Berg?«, fragt die Frau patzig. »Frau Berg ist heute gar nicht gekommen! Und zwar ohne sich krankzumelden!«

Das hat Conni gerade noch gefehlt. »Was soll ich denn jetzt machen?«, fragt sie verzweifelt.

»Ich hole mal ihre Kollegin«, sagt die Frau etwas freundlicher und geht.

Beppo zerrt immer noch an der Leine. Conni tun schon sämtliche Finger weh.

Endlich kommt eine junge Frau mit zwei dicken Aktenordnern unter dem Arm. »Ich bin Frau Jangir, die Teamkollegin von Frau Berg«, stellt sie sich vor. »Was kann ich für dich tun?«

»Ich soll Frau Berg ihren Hund vorbeibringen, weil er zum Tierarzt muss«, erklärt Conni. »Wissen Sie, wo ich sie finden kann?«

Die Frau zuckt mit den Schultern. »Das wüsste ich selber gerne, denn jetzt muss ich ihre ganze Arbeit machen.« Sie seufzt. »Wir haben heute sogar mehrfach bei ihr angerufen, doch es hat sich keiner gemeldet. Merkwürdig! Eigentlich ist Sabina sehr zuverlässig.« Frau Jangir schaut Conni auf einmal erschrocken an. »Es wird ihr doch nichts passiert sein?«, murmelt sie.

»Und was mache ich jetzt mit Beppo?«, fragt Conni ratlos.

»Hier kann er jedenfalls nicht bleiben. Am besten, du bringst ihn wieder nach Hause«, sagt die Frau und verabschiedet sich schnell.

»Also, dann gehen wir eben wieder«, sagt Conni
zu Beppo. Doch das ist leichter gesagt als getan.
Beppo will gar nicht wieder weg vom Büro und
jault wie verrückt.

»Los jetzt!« Conni zerrt am einen Ende der Leine,
Beppo am anderen. Es gibt ein echtes Tauziehen.
Am Ende gewinnt Conni. Doch der Heimweg
muss zentimeterweise erkämpft werden. Es dauert
über eine Stunde, bis sie endlich Frau Bergs
Wohnung erreichen.

Und diesmal ist nicht nur Beppo völlig geschafft …

Am Abend fährt Papa mit Conni noch einmal bei
Frau Berg vorbei. Nur um sicherzugehen, dass sie
nun wieder zu Hause ist und Beppo versorgen
kann.

Doch Frau Berg ist nicht da. Die Wohnung sieht
aus wie zuvor. Jetzt muss Conni die Pipipfütze im
Badezimmer doch wegmachen …
Papa schreibt währenddessen
einen Brief an Frau Berg.

»Und was steht darin?«, fragt Conni.

»Dass wir Beppo mit zu uns nach Hause nehmen«,
sagt Papa.

»Was?«, ruft Conni aufgeregt.

Auf einmal findet sie Beppo gar nicht mehr so schrecklich. »Das ist ja toll!«

Jetzt bekommt sie doch einen Hund. Wenigstens für heute. Wenn Beppo bei ihnen zu Hause ist, können sie es sich ja gemeinsam auf dem Sofa gemütlich machen. Sie könnte sein Fell kraulen. Und er ihre Hand lecken. Vielleicht hat Beppo ja auch Lust mit ihr zu spielen. Irgendein Spiel, bei dem man nicht so viel laufen muss. Sie könnte ihm auch Männchen beibringen. Das versucht Anna gerade mit Nicki: Ständig macht Anna ihm Männchen vor und Nicki guckt zu.

»Los, hilf mir alles zusammenzupacken«, meint Papa und weckt Conni aus ihren Träumen.

Gemeinsam suchen sie das Wichtigste für Beppo zusammen: die Futter- und Trinknäpfe, Trocken-futter und ein paar Dosen, das Körbchen und seine Bürste, seinen alten Gummiball und die Kuschel-decke.

Auf dem Rückweg im Auto nimmt Conni Beppo auf den Schoss.

»Jetzt werden wir doch noch Freunde«, wispert sie ihm zu. »Ja?«

Ein Hund zieht ein

Beppo fühlt sich bei den Klawitters sofort wie zu
Hause: Er findet auf Anhieb die Küche! Sehr zum
Ärger von Kater Mau. Denn Beppo schlabbert –
bevor es irgendjemand verhindern kann – Maus
ganzes Futter weg.

»Hier hast du deinen eigenen Napf!«, sagt Conni
und stellt Beppo etwas zum Fressen hin. Auch die
Schüssel von Kater Mau füllt sie wieder auf.

Kaum ist Beppos Napf leer, schiebt er Mau zur
Seite und macht sich wieder über das Katzenfutter
her. Kater Mau faucht. Doch Beppo lässt sich
davon nicht beeindrucken.

»Mach dir nichts draus, Mau«, sagt Conni und
streichelt ihren Kater. »Beppo ist bei uns zu Gast.
Und Gäste dürfen fast alles! Du bekommst nach-
her noch was, versprochen!«

Beleidigt dreht Kater Mau Conni den Hintern zu
und geht.

»Darf Beppo bei mir schlafen?«, fragt Conni vorm
Zähneputzen.
»Aber nicht in deinem Bett«, sagt Mama sofort.
»Nein, ich stelle nur sein Körbchen in mein
Zimmer«, erklärt Conni. »Sicher vermisst er sein
Frauchen. Und so fühlt er sich vielleicht nicht ganz
so allein!«
Damit ist Mama einverstanden.
Conni stellt Beppos Körbchen direkt neben ihr
Bett. Beppo macht es sich sofort darin gemütlich.
Vom Bett aus kann Conni ihm sogar den Nacken
kraulen.
»Soll ich dir noch etwas vorlesen?«, fragt sie.

Dann sucht sie aus dem Regal extra eine Hunde-
geschichte aus, damit sie Beppo auch gefällt. Doch
kaum hat sie ihm ein paar Zeilen vorgelesen, ist
Beppo schon eingeschlafen.

Als die Klawitters am nächsten Morgen beim
Frühstück sitzen, klingelt das Telefon.
»Ich geh dran!« Bevor Jakob von seinem Stuhl
rutschen kann, flitzt Conni schon ins Wohn-
zimmer und nimmt den Hörer ab. »Hallo?«
»Conni? Bist du's? Hier spricht Frau Berg!«
Ihre Stimme klingt dünn und aufgeregt. »Wie geht
es Beppo?«, fragt sie sofort.
»Ihm geht es prima, er ist hier bei uns«, sagt
Conni.
»Dann ist es ja gut!« Frau Berg atmet erleichtert
auf. »Ich bin im Krankenhaus«, berichtet sie dann.
»Ich hatte einen Unfall mit dem Fahrrad. Ein Auto
hat mich angefahren. Es ist nicht ganz so schlimm.
Aber ich muss trotzdem ein paar Tage hier bleiben.
Und ich wollte fragen, ob Beppo so lange bei euch
bleiben kann. Darf ich mal mit deinen Eltern
sprechen?«
»Klar!« Conni reicht den Hörer an Papa weiter.
Conni kann jetzt nur noch hören, was er sagt:

»Ach oje!«, murmelt Papa als Erstes. »Ja, aber
selbstverständlich! – Machen Sie sich mal keine
Sorgen! – Gar kein Problem! – In Ordnung! –
Machen wir! – Also, gute Besserung!«
»Frau Berg ist noch für einige Zeit im Kranken-
haus«, sagt er, als er aufgelegt hat.
»Und?«, fragt Conni. »Darf Beppo bei uns
bleiben?«
Papa hebt hilflos die Arme. »Da muss man doch
helfen, oder?«
Auch Mama ist einverstanden: Natürlich bleibt
Beppo so lange, bis Frau Berg wieder aus dem
Krankenhaus kommt.
Conni und Jakob sind begeistert. Jetzt haben sie
wirklich einen Hund. Wenn auch nur für eine
gewisse Zeit. Und die wird ausgekostet, sobald sie
aus der Schule oder dem Kindergarten zurück

sind. Natürlich ist Beppo mehr Connis Hund.
Trotzdem darf Jakob ihn streicheln und hin und
wieder auch mit ihnen gemeinsam Gassi gehen.
Beppos Schlafkörbchen bleibt aber in Connis
Zimmer stehen. Und beim Essen liegt Beppo unter
ihrem Stuhl. Das ist kein Zufall. Denn obwohl es
Mama und Papa eigentlich verboten haben,
schafft es Conni immer wieder, ihm ein paar
Happen zuzumogeln. Jakob versucht es ebenfalls.
Doch er ist dabei längst nicht so geschickt wie
seine große Schwester und wird deshalb immer
wieder erwischt …

So sehr sich Mama und Papa auch gegen einen
Hund gesträubt haben – Beppo haben sie bald ins
Herz geschlossen.
Der Einzige, der unter Beppos Anwesenheit leidet,

ist Kater Mau. Nicht nur, dass Beppo ihm ständig sein Futter wegfrisst. Nein, Mau ist bei Conni jetzt völlig abgemeldet: Sie hat auf einmal überhaupt keine Zeit mehr für ihn!

Wenn sie sonst aus der Schule zurückkam, hat sie als Erstes Kater Mau gesucht und ausgiebig mit ihm gekuschelt. Jetzt begrüßt sie ihn kaum mehr, sondern stürzt gleich zu Beppo. Sie nimmt den Hund sogar mit, wenn sie am Nachmittag ihre Freunde besucht. Zu Fuß gehen sie selten, denn mit Beppo kommt man ja nicht weit. Aber Conni wäre nicht Conni, wenn sie sich nicht etwas einfallen ließe: Sie setzt Beppo einfach in ihren großen Fahrradkorb, den sie mit ein paar alten Handtüchern ausgepolstert hat. Und Beppo lässt sich den Fahrtwind gerne um die Nase wehen.

Auch sonst ist er stets an ihrer Seite. Wenn Conni
in ihrem Zimmer Hausaufgaben macht, legt sich
Beppo unter ihren Schreibtisch und lässt sich von
Conni mit den Füßen kraulen. Wenn sie liest,
macht er es sich schnaufend auf ihrem Schoss
gemütlich. Wie auch immer: Für Kater Mau ist
kein Platz mehr!

Mama ist das nicht entgangen. Und nach ein paar
Tagen nimmt sie Conni beiseite.

»Du kannst doch Kater Mau nicht wie Luft
behandeln, nur weil Beppo bei uns ist«, sagt sie
eindringlich.

»Das wollte ich nicht«, sagt Conni erschrocken.
»Aber mit Beppo habe ich eben alle Hände voll zu
tun!«

»Das stimmt schon. Und es ist auch toll, wie du
für Beppo sorgst«, sagt Mama. »Aber du muss
dich trotzdem auch um Kater Mau kümmern.
Er muss auch gekrault und gestreichelt werden –
genau wie früher. Stell dir vor, Papa und ich
hätten dich links liegen gelassen, als wir Jakob
bekamen!«

Conni schluckt. Das wäre ja furchtbar gewesen!
Eigentlich versteht sie auch so ziemlich gut, was
Mama meint. Als Anna ihren Nicki bekommen

hatte, hatte sie sich auch ganz schön abgemeldet gefühlt.

»Armer Kater Mau«, murmelt sie und ist ab sofort wieder netter zu ihrem Kater. Aber die meiste Zeit verbringt sie nach wie vor mit Beppo.

Noch ein Albtraum

Bald ist es so weit: Am Freitag kommt Frau Berg
aus dem Krankenhaus. Wie gerne hätte Conni
Beppo noch etwas länger behalten. Aber natürlich
freut sie sich auch, dass es Frau Berg wieder besser
geht. Sie möchte Frau Berg sogar überraschen:
Zusammen mit Anna will sie Beppo baden und
ihm sein Fell waschen. Damit er richtig gut aussieht, wenn sein Frauchen ihn abholt. Conni hat
auch eine besonders schöne rote Schleife besorgt,
die sie Beppo ans Halsband binden möchte.
Für die Badeaktion eignet sich der Donnerstag am
besten. Erstens ist das ein Tag, bevor Beppo
abgeholt wird. Zum anderen ist Conni am
Donnerstagnachmittag allein. Mama muss diesen
Donnerstag nämlich noch etwas länger als sonst in
der Kinderarztpraxis arbeiten. Jakob besucht

seinen Kindergartenfreund. Und Papa ist eh im
Büro.

Wenn keiner zu Hause ist, kann man auch
niemanden fragen – zum Beispiel, ob man Beppo
in der Badewanne waschen darf. Das ist sehr
praktisch, findet Conni. An solchen Nachmittagen
gibt es deshalb meistens weitaus weniger Probleme
als sonst.

Leider trifft das nicht für diesen speziellen
Donnerstag zu …

»Also, du holst nur Nicki von zu Hause ab und
dann kommst du gleich zu mir!«, schärft Conni
Anna noch einmal ein, als sie sich am Donnerstag
nach der Schule trennen.

»Ja, ja«, nickt Anna. »Du kannst ja ruhig schon mal
das Essen warm machen. Was gibt es überhaupt?«

»Mama hat ganz leckeren Nudelauflauf gemacht«,
sagt Conni.

»Gut!« Anna nickt zufrieden. »Also dann bis
gleich!«

Conni läuft so schnell sie kann nach Hause.
Bis Anna kommt, will sie nämlich nicht nur den
Auflauf warm gemacht haben, sondern auch
schon alles für Beppos Bad vorbereiten:

Handtücher, Waschlappen, Bürste und Shampoo
rauslegen und was man sonst noch so braucht.
Anna hat ihr geraten, auch gleich noch Eimer und
Wischmopp bereitzustellen. Denn wenn Nicki
gebadet wird, gibt es immer eine Riesenüber-
schwemmung im Badezimmer.

»Hallo, Beppo!«, ruft Conni schon an der Tür.
»Heute wird gebadet!«
Doch statt Beppo guckt nur Kater Mau kurz um
die Ecke.
»Mau«, mauzt er. Er klingt sehr zufrieden.
»Hast du Beppo gesehen?«, fragt Conni.
Der Kater macht einen Buckel, faucht und ist
prompt verschwunden.
»Man wird ja wohl noch fragen dürfen«, brummt
Conni.
Während die Mikrowelle läuft, sucht Conni nach
Beppo. Vielleicht hätte sie ihm nicht sagen sollen,
dass er gebadet wird. Wahrscheinlich hasst er
Baden. Und jetzt hat er sich irgendwo versteckt!

Nur wo?

»Beppo, komm doch raus!«, bettelt Conni. »Du bekommst auch ganz viele Hundekekse!«

Beppo rührt sich nicht. Conni sucht die Betten und Schränke ab, schaut im Wäschekorb, unter den Tischen und in der Besenkammer nach.

Fehlanzeige! Nur Kater Mau ist da. Er sitzt oben auf dem Wohnzimmerschrank und schaut Conni schadenfroh bei ihrer Suche zu.

»Mensch, Beppo, komm endlich! Wir haben keine Zeit für Spielchen!«, schimpft Conni. Doch darauf reagiert Beppo erst recht nicht.

Also muss Conni weitersuchen. Sie durchwühlt die Bettkästen, Jakobs Spielzeugtruhen und seine Matratzenhöhle.

»Beppo, komm endlich.
Du wirst auch nicht gebadet«,
verspricht sie schließlich in
ihrer Verzweiflung.

»Bitte, bitte, komm raus!«

Das Essen ist längst warm, als Anna an der Haustür klingelt.

»Beppo hat sich irgendwo verkrochen, damit er nicht gebadet wird«, beschwert sich Conni bei ihr.

»Das kenne ich«, grinst Anna.

»Nicki geht auch nicht gerne in die Wanne!«
Wanne? Nicki schaut Anna an. Hat sie wirklich
Wanne gesagt? Und schon kriecht er unters Sofa.
»Siehst du!«, kichert Anna.
»Nein, Nicki, du wirst nicht gebadet«, verspricht
sie ihm. Der Kleine guckt misstrauisch unter dem
Sofa hervor.
»Nun komm schon«, lacht Anna.
Nicki kommt vorsichtig angekrochen.
»Siehst du, er gehorcht aufs Wort«, sagt Anna
stolz. »Ist eigentlich das Essen fertig?«, fügt sie
unvermittelt hinzu. »Ich habe einen Riesenhunger!«
»Können wir nicht erst einmal Beppo suchen?«,
bittet Conni.
»Pass mal auf«, sagt Anna. »Wir beiden essen jetzt
und Nicki sucht währenddessen für uns weiter.
Ich wette, er hat eh mehr Erfolg als wir!«
Anna beugt sich zu ihrem Hund hinunter. »Nicki«,
sagt sie eindringlich. »Such Beppo! Los!«
Nicki hebt die rechte Vorderpfote und schnüffelt.
Schon hat er Witterung aufgenommen und saust
los.
»Und dann kommt ihr in die Küche!«, ruft Anna
ihm noch hinterher. »Los, lass uns endlich essen!«
Während Anna gleich losschaufelt, bekommt

Conni kaum etwas hinunter. Immer wieder blickt sie zur Tür, doch Nicki und Beppo tauchen nicht auf.

Schließlich hält es Conni nicht länger aus und schiebt ihren Teller beiseite. »Ich suche jetzt auch noch mal nach Beppo«, sagt sie. Langsam bekommt sie es nämlich mit der Angst zu tun.

»Er ist doch nicht etwa weggelaufen?«

»Wie denn?«, fragt Anna. »Oder habt ihr etwa die Tür aufgelassen?«

Conni schüttelt den Kopf.

Plötzlich klopft es ans Fenster. Kater Mau sitzt draußen auf dem Fensterbrett und grinst.

»Und wie ist Kater Mau nach draußen gekommen?«, forscht Anna weiter.

Conni winkt ab. »Der hat doch seine Katzentür!«

»Die Katzentür«, wiederholt Anna bedächtig.

»Das wäre natürlich eine Möglichkeit!«

»Eine Möglichkeit?«, fragt Conni verdutzt und dann lacht sie. »Du meinst doch nicht etwa, dass Beppo durch die Katzentür …?« Sie kringelt sich vor Lachen. »Doch nicht Beppo! Der ist doch viel zu dick dafür!«

Aber Conni vergeht das Lachen, als sie am Scharnier von Kater Maus Katzentür ein paar Hundehaare findet.

»Die müssen dort hängen geblieben sein, als sich Beppo durch die Tür gequetscht hat«, schließt Anna messerscharf.

Nie hätte Conni gedacht, dass der dicke Beppo durch diese schmale Tür passt! Er muss ziemlich verzweifelt rausgewollt haben. Aber wieso nur? Musste er dringend mal? Conni ist doch vor der Schule extra noch mit ihm draußen gewesen.

Conni öffnet die Tür zur Terrasse. »Bestimmt ist er noch in der Nähe. Beppo läuft ja sowieso nie weit!« Anna nimmt Nicki an die Leine.

»Such!«, befiehlt sie ihrem Hund. »Such Beppo!« Wieder hebt Nicki die Vorderpfote und schnuppert mit seiner kleinen schwarzen Nase in der Luft.

Dann rennt er los: zielstrebig zum nächsten Maulwurfhügel.

»Du sollst Beppo suchen und keine Maulwürfe«, fährt Anna ihn an.

Aber Nicki hat dazu keine Lust. Maulwurfhügel sind viel interessanter. Eifrig bohrt er seine Schnauze in den weichen Erdhügel und beginnt zu graben.

»Aus! Nicki, es reicht!«, ruft Anna streng. »Such Beppo! Los!«

Aber Nicki ist vom Maulwurfhügel gar nicht mehr wegzubekommen. Conni macht sich allein auf die Suche.

Im Garten ist Beppo nicht. Sie schaut über den Zaun in die Nachbargärten, aber Beppo ist nicht zu sehen. Hoffentlich ist er nicht auf die Straße gelaufen!

»Ich gehe mal die Hunderunde um den Block. Vielleicht ist er da irgendwo!«, ruft Conni.

»Wir kommen mit!« Anna klemmt sich Nicki
unter den Arm und setzt ihn erst wieder auf dem
Bürgersteig ab. »Los, such Beppo!«, schärft sie
ihrem Welpen noch einmal ein.
Und siehe da: Nicki entpuppt sich als erstklassiger
Spürhund. Zumindest, wenn es darum geht, lauter
kleine, unnütze Dinge zu entdecken. Er stöbert
rostige Kronkorken auf, abgebrannte Streich-
hölzer, ein leeres Schneckenhaus und eine alte
Pommes frites. Aber Beppo findet er nicht. Da ist
es schon besser, Conni und Anna halten selbst ihre
Augen offen.
»Beppo! Beppo!«, ruft Conni immer wieder.
Aber Beppo taucht nicht auf.
Sie laufen gleich zweimal um den Häuserblock.
Wie gut, dass Anna dabei ist, denkt Conni. Ihr
kommen langsam die Tränen.
»Ausgerechnet heute läuft Beppo weg!«, schnieft
sie, als sie wieder vor ihrem Haus stehen.
»Morgen kommt Frau Berg. Und wenn er dann
immer noch weg ist, muss sie bestimmt gleich
noch mal ins Krankenhaus. Wegen Herzinfarkt
oder so was! Wir müssen ihn unbedingt finden!«
»Und wie sollen wir das bitte schön anstellen?«,
fragt Anna. »Beppo kann sonst wo sein!

Wir können doch nicht die ganze Stadt durch-
suchen!«

»Das müssen wir aber«, sagt Conni nachdrücklich.

»Dafür brauchen wir aber Verstärkung«, überlegt
Anna laut.

Conni nickt. Als Erstes ruft sie bei Billi an und
dann bei Paul. Ihre beiden Freunde sind sofort
bereit zu helfen.

Geheimoperation Beppo

Keine Viertelstunde später sind beide da. Paul
wohnt gleich nebenan und Billi ist so schnell sie
konnte mit ihrem Fahrrad hergeflitzt.
»Die ganze Stadt durchkämmen? Zu viert? Besser,
wir bitten die Bevölkerung um Mithilfe«, sagt Paul,
der am liebsten Krimis liest. »Irgendjemand wird
Beppo schon irgendwo gesehen haben!«
»Die Bevölkerung um Mithilfe bitten?«, stöhnt
Anna. »Wie stellst du dir das vor?«
Paul kratzt sich nachdenklich hinterm Ohr.
»Ganz einfach, wir hängen Zettel aus«, weiß Billi.
»In meiner Straße hängen ständig Zettel, weil
jemand seine Schlüssel verloren hat oder ein
Kanarienvogel weggeflogen ist!«
»Na klar!«, nickt Conni. Warum sollte sie Beppo
nicht ein zweites Mal durch einen Aushang finden?

»Hund entlaufen!«, schreibt sie also auf ein
großes weißes Blatt und dann beschreibt sie Beppo
so gut es geht, damit alle wissen, wie er aussieht.
»So, fertig!«, meint Conni, nachdem sie noch ihre
Telefonnummer ergänzt hat.
»Halt, da fehlt was!« Anna zeigt auf die Liste.
»Und zwar: Hört auf den Namen Beppo!«
Paul grinst. »Hört auf den Namen? Was soll das
denn heißen?«
»Dass er kommt, wenn man Beppo ruft«, erklärt
Anna, die Hundeexpertin.
»Aber Beppo kommt doch gar nicht, wenn man
ihn ruft«, sagt Conni.
Schließlich sind alle mit einem Entwurf
einverstanden.

Hund entlaufen!
Helles Fell mit braunen Flecken,
braune Schlappohren,
kurze Beine und dicker Bauch.
Lieb und zottelig.
Er heißt Beppo, hört aber nicht immer darauf,
wenn man ihn ruft.
Wenn Sie ihn gesehen haben, rufen Sie bitte an:
Tel. 54321

Sofort schnappen sich Anna, Billi, Paul und Conni
ein neues Blatt und schreiben den Zettel ab. Jeder
vier Mal. Das macht 17 Aushänge.
»Das muss reichen«, meint Conni zufrieden und
verteilt Reißzwecken und Klebeband. Dann
schneidet sie für jeden noch ein langes Stück
Paketschnur zurecht. Als Ersatz-Hundeleine.
Denn ohne die würde keiner von ihnen Beppo je
nach Hause kriegen!
Sie haben alles genau geplant: Vor der Haustür
geht jeder in eine andere Himmelsrichtung.

Sie durchkämmen die angrenzenden Straßen nach
Beppo und hängen dabei ihre Zettel auf.
»In einer Stunde treffen wir uns wieder!«, meint
Conni. »Hoffentlich ist Beppo dann auch schon
mit dabei!«
»Uhrenvergleich«, sagt Paul und schaut auf seine
Uhr. »Auf meiner Uhr ist es jetzt genau 14.47 und
15 Sekunden.«

»Ja, ja«, nickt Billi. »Auf meiner Uhr ist es jetzt
auch Viertel vor. Also, tschüss und bis später!«
Conni hängt vor der Post, beim Bäcker, am Spiel-
platz und an der Ampelkreuzung ihre Zettel aus.
Sie läuft in Hof- und Garagenausfahrten. Sie
schaut hinter Mülltonnen und unter Büschen
nach. Aber Beppo ist wie vom Erdboden
verschwunden.

Nach einer Stunde läuft sie enttäuscht wieder nach Hause. Hoffentlich hatten Anna, Billi oder Paul mehr Glück als sie!

Aber keiner der Freunde hat Beppo gefunden.

Wo steckt er nur? Conni kommen wieder die Tränen. »Er kann doch nicht weit sein! Ich verstehe überhaupt nicht, wieso wir ihn nicht gefunden haben!«

»Vielleicht ist er ja gefangen worden«, meint Paul düster. »Es gibt Hundefänger, die streunende Hunde auf offener Straße einfangen!«

»Was?«, ruft Conni. »Und dann?«

Paul zuckt mit den Achseln. »Dann werden sie verkauft oder so.«

»So ein Quatsch«, faucht Billi. »Oder hast du schon mal Hundefänger gesehen!«

»Hast du schon mal echte Diebe oder Räuber gesehen?«, blafft Paul zurück.

Billi schüttelt den Kopf.

»Und es gibt sie doch!«, triumphiert Paul.

Conni ist ganz blass geworden.

Billi legt den Arm um ihre Schulter. »Also, ich glaube trotzdem nicht, dass Beppo gefangen worden ist!«

»Ich auch nicht«, schließt sich Anna an. »Ich

meine, so nett Beppo auch ist – was wollen die
schon mit so einem dicken, alten Hund anfangen?«
Anna grinst verlegen.

Conni grinst auch und wischt sich die Tränen am
T-Shirt ab. »Und jetzt?«

»Könnte es nicht sein, dass Beppo sein Frauchen
sucht?«, fragt Anna und streichelt ihren Nicki.
»Hunde sind nämlich sehr, sehr treu!«

»Aber ja!«, ruft Conni sofort. »Mama hat neulich
in der Zeitung gelesen, dass ein Hund ewig weit
gelaufen ist, nur um sein Herrchen zu finden!«

»Seht ihr«, sagt Anna stolz. »Und es ist ja klar, wo
Beppo sein Frauchen als Erstes suchen würde!«

»Zu Hause natürlich!«, ruft Conni. »Los, am
besten, wir gucken sofort nach!«

»Einer muss aber beim Telefon bleiben, falls
jemand anruft«, meint Paul. »Wozu haben wir
sonst die Zettel aufgehängt?«

»Richtig«, nickt Conni und ist froh, dass Paul sich
sofort bereit erklärt, Telefondienst zu schieben.

»Und wir machen uns gleich auf den Weg«, meint
sie zu Anna und Billi. Damit es schneller geht,
bekommen Anna und Nicki Connis Fahrrad. Sie
selbst leiht sich Jakobs Rad aus. Das ist zwar viel
zu klein, aber trotzdem besser, als zu Fuß zu laufen.

Schon von weitem hält Conni Ausschau nach
Beppo. Ihr Herz pocht ganz schnell vor lauter
Aufregung. Sie muss Beppo unbedingt wiederfinden, bevor Frau Berg aus dem Krankenhaus
kommt!
Aber Beppo sitzt weder draußen vor der Haustür
noch drinnen im Treppenhaus. Conni geht sogar
in die Wohnung hinein. Doch dort ist Beppo
natürlich erst recht nicht. Wie sollte er auch alleine
hineingekommen sein?
»Dann ist Beppo bestimmt im Krankenhaus«,
meint Anna.
»Wenn er es gefunden hat«, überlegt Billi. Es
klingt nicht gerade sehr zuversichtlich.

»Warum denn nicht?«, knurrt Anna. »Hunde
haben eine ganz feine Nase. Die können 1000 Mal
besser riechen als wir. Mindestens!«
»Also los, zum Krankenhaus«, drängt Conni.

Conni schaut sich ratlos um, als sie vor dem
großen Krankenhaus stehen. »Wie sollen wir
Beppo hier bloß finden?«
»Ganz einfach: Du besuchst Frau Berg«, antwortet
Billi.

»Was? Auf gar keinen Fall!« Die Allerletzte, die
Conni jetzt sehen will, ist Frau Berg. Wie soll sie
ihr denn jetzt in die Augen sehen, wo Beppo
weggerannt ist?
»Wir haben gar keine andere Möglichkeit«, sagt
Billi. »Wie sollen wir sonst rauskriegen, ob Beppo
sein Frauchen schon gefunden hat?«

»Kann nicht einer von euch gehen?«, bettelt
Conni.

»Nein.« Billi schüttelt den Kopf. »Wir kaufen ihr
hier unten schnell noch einen Blumenstrauß. Und
dann besuchst du sie kurz.«

Für einen richtigen Blumenstrauß reicht ihr Geld
allerdings bei weitem nicht aus. Selbst wenn sie
alle zusammenlegen. Also entscheiden sie sich für
eine einzelne gelbe Rose.

Mit dem Fahrstuhl fährt Conni in den dritten
Stock.

»Zimmer 311«, murmelt sie und hält sich an der
Rose fest.

Kaum ist sie auf dem Gang, guckt eine Schwester
aus der Tür. »Zu wem willst du denn hier so ganz
allein?«, fragt sie.

»Zu Frau Berg. Ich passe auf ihren Hund auf,
solange sie hier ist«, erklärt Conni.

»Den hast du aber nicht etwa mitgebracht?«
Die Schwester schaut Conni misstrauisch an.

»Ne-ein«, stammelt Conni.

»Gut!« Die Schwester begleitet Conni ins Zimmer
hinein. »Frau Berg, Besuch für Sie.«

»Ist das nett, dass du mich besuchen kommst!«
Frau Berg strahlt.

Conni nickt verlegen und schaut sich im Zimmer um. Sie kann Frau Berg ja nicht nach Beppo fragen! Sie darf auf keinen Fall erfahren, dass er weggelaufen ist. Heute zumindest nicht!

»Im Krankenhaus kann es einem ganz schön langweilig werden«, versucht Frau Berg eine Unterhaltung zu beginnen.

Das ist Connis Chance. »Haben Sie heute sonst noch keinen Besuch bekommen?«, fragt sie vorsichtig. Wenn Beppo gekommen wäre, würde Frau Berg es ihr jetzt bestimmt sagen!

Doch die schüttelt nur den Kopf. »Nein, heute ausnahmsweise nicht.«

Conni weiß nicht mehr, was sie sagen soll.

»Wie geht es Beppo?«, fragt Frau Berg.

Conni wird rot. »Ihm, ihm geht es gut«, stammelt
sie und hofft, dass das nicht gelogen ist.
Frau Berg hat zum Glück nichts gemerkt. »Ich
freue mich ja schon so, ihn morgen wiederzu-
sehen«, sagt sie und lacht. »Es ist einfach toll, dass
du die ganze Zeit so gut auf ihn aufpasst!«
Conni möchte am liebsten im Erdboden versinken.
»Ich geh dann mal wieder«, sagt sie schnell.
Erst draußen auf dem Gang fällt ihr auf, dass sie
immer noch die Blume in der Hand hält. Sie
schlüpft noch einmal ins Zimmer.
»Hier, für Sie«, sagt sie und drückt der verdutzten
Frau Berg rasch die Rose in die Hand, bevor sie
wieder verschwindet.
Unten warten Anna und Billi auf sie.
»Und? War's schlimm?«, fragt Anna.
»Ja«, nickt Conni blass. »Sehr!«

Letzte Chance!

»Beppo muss doch irgendwo stecken«, sagt Billi.
»Wo könnte er sein Frauchen denn noch suchen?«
Conni zuckt mit den Schultern.
»Los, denk doch mal nach!« Billi lässt nicht
locker. »Wo ist Frau Berg, wenn sie nicht zu Hause
ist?«
»Im Büro«, sagt Conni. Sie glaubt eigentlich nicht
mehr, dass sie Beppo je wiederfinden. Weder dort
noch irgendwo anders.
»Los, vielleicht ist das unsere letzte Chance«, sagt
Anna und steigt aufs Rad. Widerstrebend fährt
Conni hinterher. Das wird doch nur wieder die
nächste Enttäuschung!
Eine Viertelstunde später sind sie vor Frau Bergs
Büro. Beppo ist nicht zu sehen.
»Seht ihr: Hier ist er auch nicht!«, seufzt Conni.

Ratlos bleiben die drei Freundinnen vor der Tür
stehen.

Plötzlich öffnet sich ein Fenster. Die Kollegin von
Frau Berg schaut heraus. »He, du!«, ruft sie Conni
zu. »Du warst doch neulich hier mit dem Hund
von Frau Berg, oder?«

»Ja«, antwortet Conni.

»Du weißt nicht zufällig, wo er wohnt, während
Frau Berg im Krankenhaus ist?«, will sie wissen.

»Wieso?«, fragt Conni gedehnt. Es muss ja nicht
alle Welt wissen, dass sie Frau Bergs Hund
verloren hat!

»Weil er hier ist. Schon den ganzen Tag. Er liegt

unter Frau Bergs Schreibtisch und ist keinen
Zentimeter von der Stelle zu kriegen!« Frau Jangir
schaut verzweifelt. »Ich weiß wirklich nicht, was
ich mit ihm machen soll!«
»Beppo ist bei Ihnen?«, ruft Conni außer sich.
»Das ist ja toll!«
Schon stürmt sie zur Tür. »Lassen Sie mich rein?«
Es kann nur ein, zwei Minuten gedauert haben, bis
Frau Jangir bei der Tür ist, doch Conni kam es wie
eine Ewigkeit vor. Ungeduldig folgt sie ihr ins
Arbeitszimmer.
»Beppo!«, ruft Conni atemlos, wirft sich auf den
Boden und umarmt ihn.

Beppo guckt erstaunt hoch. Und dann schleckt er
Conni mit seiner rauen, feuchten Zunge einmal
mitten durchs Gesicht.
Conni wischt Beppos Hundekuss mit dem Hand-
rücken weg. »Danke, sehr lieb von dir!«, murmelt
sie.

»Pass auf, dein Frauchen kommt morgen wieder.
Morgen darfst du wieder bei ihr wohnen«, erklärt
sie Beppo. »Du musst nur noch eine allerletzte
Nacht bei uns schlafen.«
Sie zieht die Leine aus der Hosentasche und hakt
sie ein.
»Kommst du dies eine Mal noch mit mir mit?«
Beppo zögert. Aber dann rappelt er sich doch
langsam hoch.
»So ein lieber, treuer Hund! Er ist uns heute
weggelaufen, nur um sein Frauchen zu suchen«,
erklärt Conni Frau Jangir.
»Du nimmst ihn also mit?«, fragt die erleichtert.
»Gut. Sehr gut! Dann einen schönen Tag noch!«
»Tschüss«, flötet Conni gut gelaunt. Beppo trabt
artig neben ihr her. Irgendwie scheint er erleichtert
zu sein, dass Conni ihn abholt. »Brav, Beppo,
brav. Jetzt gehen wir nach Hause!«

Anna und Billi klatschen vor Freude in die Hände. Und auch Paul freut sich mit, als er zu Hause vom Telefondienst befreit wird. Nur Kater Mau hat schlechte Laune.

Ein glückliches Frauchen

Am nächsten Nachmittag steht Frau Berg vor der
Tür und drückt Frau Klawitter einen großen,
bunten Blumenstrauß in die Hand. »Vielen, vielen
Dank, dass Beppo bei Ihnen bleiben durfte!«
»Das war doch selbstverständlich«, lacht Mama.
»Und die Kinder haben sich riesig gefreut, endlich
mal einen Hund im Haus zu haben!«
Beppo muss Frau Bergs Stimme gehört haben.
Er ist vom Sofa gesprungen und so schnell wie er
konnte zur Tür gelaufen.
»Da bist du ja!«, ruft Frau Berg und nimmt Beppo
auf den Arm. »Ich habe dich ja so vermisst!«
Beppo schleckt ihr quer über die Wange. Genau
so, wie er es gestern bei Conni gemacht hat. Und
darauf ist Conni ein klein wenig stolz.
Frau Berg setzt Beppo ab und zieht eine riesen-

große Tafel Nugat-Schokolade aus der Jackentasche. »Und die ist für dich! Weil du dich so toll um Beppo gekümmert hast!«

»Danke!« Conni strahlt. Die Schokolade ist so groß, dass sie sie locker mit Anna, Paul und Billi teilen kann.

»Du kommst doch morgen wieder, um mit ihm spazieren zu gehen?«, fragt Frau Berg freundlich.

Beppo guckt Conni mit seinen großen Hundeaugen erwartungsvoll an.

»Klar komm ich«, sagt Conni und wuschelt Beppo noch einmal durch sein zotteliges Fell. »Also, dann bis morgen, Beppo!«

Als Conni wieder ins Haus geht, fühlt sie sich ein bisschen einsam. Sie braucht dringend jemanden zum Schmusen. Am besten Kater Mau!

»Mau!«, ruft Conni und durchsucht das ganze Haus. »Mauchen!« Doch der Kater ist nirgendwo zu finden.

Mama sitzt im Esszimmer am Computer.

»Hast du Kater Mau gesehen?«, fragt Conni sie.

Mama überlegt einen Moment. »Ich habe ihn den ganzen Tag noch nicht gesehen«, fällt ihr plötzlich auf. »Merkwürdig!«

»Er wird doch nicht etwa weggelaufen sein?«, ruft

Conni erschrocken. Auf einmal fühlt sie sich
einfach schrecklich. »Bestimmt ist er weggerannt,
weil ich mich nicht mehr genug um ihn
gekümmert habe!«

In dem Moment klingelt es an der Haustür. Frau
Sandulescu, die Nachbarin, steht vor der Tür. Und
sie hat Kater Mau dabei.
»Mein allerliebster Mau!«, ruft Conni erleichtert
und drückt den Kater an sich.
»Mau«, motzt Kater Mau und versucht freizu-
kommen.
»Er war den ganzen Tag bei mir«, sagt Frau
Sandulescu. »Dass er mich hin und wieder
besucht, kommt ja vor. Aber heute hatte ich das
Gefühl, er will bei mir einziehen.«
»Wirklich?« Conni drückt Kater Mau noch etwas
fester an sich. »Bitte, bleib bei uns«, flüstert sie
dem strampelnden Kater ins Ohr. »Beppo ist nicht

mehr da. Und ich werde mich ab sofort nur noch um dich kümmern. Echt!«

Kater Mau hört auf zu strampeln und blinzelt sie misstrauisch an.

»Es tut mir so Leid, dass ich so garstig war«, wispert Conni in sein anderes Ohr. »Bitte sei mir nicht mehr böse!«

»Da will ich mal nicht länger stören.« Frau Sandulescu zwinkert Conni zu und ist schon verschwunden, bevor Conni sich richtig verabschieden kann. Conni schaut Mau tief in die Augen.

»Ich hab dir auch extra was zum Knabbern mitgebracht. Es ist noch in meiner Schultasche!« Kater Mau schaut schon ein wenig freundlicher.

Conni krault ihn zwischen den Ohren. »Und was meinst du?«, fragt sie sanft. »Wollen wir heute Nacht dein Körbchen neben mein Bett stellen?« »Maaaau!«, schnurrt Kater Mau. Und das heißt eindeutig: »Au ja!«

Conni

Natürlich brauche ich jetzt auch dringend einen Hund!

Mama, Papa und Jakob

Mama und Papa wollen auf keinen Fall
einen Hund!

Jakob sieht das anders. Genau wie ich!

Anna und Nicki

Das ist Anna mit ihrem neuen Hund!
Ist Nicki nicht das süßeste Hundebaby der Welt?